中华人民共和国国家标准

再生铜冶炼厂工艺设计规范

Code for design of secondary copper smelter processes

GB 51030-2014

主编部门：中国有色金属工业协会
批准部门：中华人民共和国住房和城乡建设部
施行日期：2 0 1 5 年 5 月 1 日

中国计划出版社

2014　北　京

中华人民共和国国家标准
再生铜冶炼厂工艺设计规范
GB 51030-2014

☆

中国计划出版社出版

网址:www.jhpress.com

地址:北京市西城区木樨地北里甲 11 号国宏大厦 C 座 3 层

邮政编码:100038　电话:(010) 63906433（发行部）

新华书店北京发行所发行

三河富华印刷包装有限公司印刷

850mm×1168mm　1/32　2.375 印张　58 千字

2015 年 4 月第 1 版　2015 年 4 月第 1 次印刷

☆

统一书号:1580242·550

定价:15.00 元

版权所有　侵权必究

侵权举报电话:(010) 63906404

如有印装质量问题,请寄本社出版部调换

中华人民共和国住房和城乡建设部公告

第 532 号

住房城乡建设部关于发布国家标准《再生铜冶炼厂工艺设计规范》的公告

现批准《再生铜冶炼厂工艺设计规范》为国家标准，编号为GB 51030—2014，自2015年5月1日起实施。其中，第5.1.5、5.1.6、5.1.14、5.1.22、5.2.18、5.2.19、5.2.20、5.2.21、8.0.6条为强制性条文，必须严格执行。

本规范由我部标准定额研究所组织中国计划出版社出版发行。

中华人民共和国住房和城乡建设部
2014年8月27日

前　言

本规范是根据住房城乡建设部《关于印发〈2012 年工程建设标准规范制订、修订计划〉的通知》（建标〔2012〕5 号）的要求，由中国有色工程有限公司、中国瑞林工程技术有限公司会同有关单位共同编制完成的。

本规范在编制过程中，编制组进行了深入的调查研究，认真总结了我国近年来再生铜冶炼行业的实践经验和技术进步，并在广泛征求意见的基础上，通过反复讨论并修改完善，最后经审查定稿。

本规范共分 10 章，主要技术内容包括：总则，术语，原料、燃料、熔剂，原料预处理，火法冶炼，冶金炉烟气处理，电解精炼，电解液净化，工艺配置和冶金计算。

本规范中以黑体字标志的条文为强制性条文，必须严格执行。

本规范由住房城乡建设部负责管理和对强制性条文的解释，由中国有色金属工业工程建设标准规范管理处负责日常管理，由中国瑞林工程技术有限公司负责具体技术内容的解释。本规范在执行过程中如有意见或建议，请寄送中国瑞林工程技术有限公司（地址：江西省南昌市红角洲前湖大道 888 号，邮政编码：330031），以便今后修订时参考。

本规范主编单位、参编单位、主要起草人和主要审查人：
主 编 单 位：中国有色工程有限公司
　　　　　　　中国瑞林工程技术有限公司
参 编 单 位：北京中色再生金属研究有限公司
　　　　　　　广西有色再生金属有限公司
　　　　　　　山东金升有色集团有限公司

主要起草人：唐尊球　赵　欣　唐　斌　涂建华　李　衡
　　　　　　　叶　薇　王　玮　胡奔流　刘建军　陈　波
　　　　　　　张家源　欧福文　黄　斌　郑宪伟
主要审查人：张希忠　林晓芳　舒见义　廖春发　徐冠浩
　　　　　　　曾导环　李维舟　钱　勇　陶金文

目 次

1 总 则 …………………………………………………（ 1 ）
2 术 语 …………………………………………………（ 2 ）
3 原料、燃料、熔剂 ……………………………………（ 4 ）
  3.1 废杂铜原料 ………………………………………（ 4 ）
  3.2 燃料 ………………………………………………（ 4 ）
  3.3 熔剂 ………………………………………………（ 5 ）
4 原料预处理 …………………………………………（ 6 ）
  4.1 一般规定 …………………………………………（ 6 ）
  4.2 原料拆解 …………………………………………（ 6 ）
5 火法冶炼 ……………………………………………（ 7 ）
  5.1 高品位废杂铜火法精炼 …………………………（ 7 ）
  5.2 中、低品位废杂铜火法冶炼 ……………………（ 8 ）
6 冶金炉烟气处理 ……………………………………（ 11 ）
  6.1 一般规定 …………………………………………（ 11 ）
  6.2 高品位废杂铜火法精炼烟气处理 ………………（ 11 ）
  6.3 中、低品位废杂铜火法冶炼烟气处理 …………（ 12 ）
7 电解精炼 ……………………………………………（ 14 ）
8 电解液净化 …………………………………………（ 17 ）
9 工艺配置 ……………………………………………（ 18 ）
  9.1 一般规定 …………………………………………（ 18 ）
  9.2 原料预处理 ………………………………………（ 18 ）
  9.3 原料打包 …………………………………………（ 18 ）
  9.4 高品位废杂铜火法精炼 …………………………（ 19 ）
  9.5 中、低品位废杂铜火法冶炼 ……………………（ 19 ）

9.6 电解精炼	(20)
9.7 电解液净化	(21)
10 冶金计算	(22)
本规范用词说明	(24)
引用标准名录	(25)
附：条文说明	(27)

Contents

1 General provisions .... (1)
2 Terms .... (2)
3 Raw materials, fuels and fluxes .... (4)
   3.1 Scrap copper raw materials .... (4)
   3.2 Fuels .... (4)
   3.3 Fluxes .... (5)
4 Raw materials pretreatment .... (6)
   4.1 General requirement .... (6)
   4.2 Raw materials disassembly .... (6)
5 Pyrometallurgy .... (7)
   5.1 High grade scrap copper fire refining .... (7)
   5.2 Middle and low grade scrap copper smelting .... (8)
6 Metallurgical furnace flue gas handling .... (11)
   6.1 General requirement .... (11)
   6.2 High grade scrap copper fire refining flue gas handling ... (11)
   6.3 Middle and low grade scrap copper smelting flue gas handling .... (12)
7 Electrorefining .... (14)
8 Electrolyte purification .... (17)
9 Process arrangement .... (18)
   9.1 General requirement .... (18)
   9.2 Raw materials pretreatment .... (18)
   9.3 Raw materials packaging .... (18)
   9.4 High grade scrap copper fire refining .... (19)

9.5　Middle and low grade scrap copper smelting ………………(19)

9.6　Electrorefining ……………………………………………(20)

9.7　Electrolyte purification ……………………………………(21)

10　Metallurgical calculation ………………………………………(22)

Explanation of wording in this code ………………………………(24)

List of quoted standards ……………………………………………(25)

Addition：Explanation of provisions ………………………………(27)

1 总 则

1.0.1 为了统一再生铜冶炼厂工艺设计的技术标准,推动技术进步、安全生产、环境保护和节能减排,提高设计质量和效率,制定本规范。

1.0.2 本规范适用于新建、改建、扩建再生铜冶炼厂的工艺设计。

1.0.3 新建再生铜冶炼厂的厂址选择,应在国家法律、法规、行政规章及规划所允许的区域内经过方案比较确定,应节约和合理利用建设用地。

1.0.4 再生铜冶炼应采用先进技术、先进设备,各项技术经济指标应达到国内外的先进水平。

1.0.5 再生铜冶炼应合理利用能源、节约能源、回收利用生产过程的余热,单位产品综合能耗应符合现行国家标准《铜冶炼企业单位产品能源消耗限额》GB 21248 的规定。可行性研究报告、初步设计文件应编制节能篇(章)。

1.0.6 再生铜冶炼的环保、安全、职业卫生及消防设施应与主体工程同时设计、施工和投产。

1.0.7 生产过程中各种原料、辅助材料、中间产品、产品及能源等,应有计量设施。

1.0.8 再生铜冶炼厂的工艺设计,除应符合本规范外,尚应符合国家现行有关标准的规定。

2 术　　语

2.0.1 再生铜　secondary copper

从含铜废料中回收利用所获得的铜。

2.0.2 原料预处理　raw materials pretreatment

在入炉冶炼前，将废杂铜原料中的非铜物质最大限度分离出去预先处理的过程。主要工序包括分拣拆解、线缆剥皮、破碎分选、清除有机物料、打包压块等。

2.0.3 固定式阳极炉　fixed anode furnace

炉顶为拱形，两端分设燃烧装置和出口烟道，侧面设有加料口，具有便于利用辐射热的浅熔池和矮炉顶的长方形卧式炉，适于处理高品位废杂铜原料并产出阳极铜。

2.0.4 回转式精炼炉　rotary refining furnace

炉体为圆筒形，炉体设有加料、排渣装置，两端分设燃烧装置和出口烟道，侧壁设置氧化、还原、出铜口，炉体依靠电力传动装置可在一定的角度内沿筒体设备中心线转动的为回转式精炼炉，适于处理高品位废杂铜原料并产出阳极铜。典型炉型有回转式阳极炉、NGL炉。

2.0.5 倾动式精炼炉　tilting refining furnace

炉顶和炉底为拱形，侧壁为竖式炉墙，两端分设燃烧装置和出口烟道，侧壁设置加料、氧化、还原、出铜口，炉体依靠液压传动装置可在一定角度内左右倾动的为倾动式精炼炉，适于处理高品位废杂铜原料并产出阳极铜。典型炉型有倾动炉、精炼摇炉。

2.0.6 熔池熔炼炉　bath smelting furnace

中、低品位废杂铜、熔剂、燃料加入熔融态熔池中，迅速完成固、液、气相间的反应，经熔炼产出粗铜。根据空气或富氧空气的鼓入方式,分为顶吹、侧吹、底吹。

2.0.7 顶吹旋转转炉　top blown rotary converter

顶部设有燃烧喷枪和吹炼喷枪,炉体是一种既可绕横轴转动又可绕纵轴旋转的倾斜式转炉。当处理中、低品位废杂铜原料时,原料、熔剂由箕斗加料装置从炉口装入炉内,先通过燃烧喷枪将氧气和燃料鼓入炉内进行熔炼作业,再通过吹炼喷枪将富氧压缩空气鼓入炉内吹炼,产出粗铜。典型炉型有卡尔多炉、顶吹转炉、氧气斜吹旋转转炉。

2.0.8 稀氧燃烧　dilute oxygen combustion

燃料和浓度大于或等于90%的工业氧气分别通过不同的喷嘴高速射入炉膛,燃料和氧气与在炉膛中已存在的燃烧产物发生卷吸作用而迅速有效稀释,然后再彼此混合燃烧,形成一种非常均匀的加热体系,以降低烟气中产出的氮氧化物。

3 原料、燃料、熔剂

3.1 废杂铜原料

3.1.1 废杂铜原料宜按含铜品位划分为高品位废杂铜原料、中品位废杂铜原料和低品位废杂铜原料。

3.1.2 废杂铜的分类应按原料含铜品位高低划分,并应符合表3.1.2的规定。

表 3.1.2 废杂铜原料的分类

类 别	含铜品位(%)	主要品种
高品位废杂铜	≥90	紫杂铜、废铜板、废电线电缆等
中品位废杂铜	40~90	黄铜废料、白铜废料、青铜废料等
低品位废杂铜	<40	含铜灰、含铜渣等

注:原料应经拆解、剥皮、破碎分离、清除有机物等不同的预处理后才能作为入炉物料。

3.2 燃 料

3.2.1 使用重油作燃料时,宜采用含硫低于0.5%的100号或200号重油,重油的质量指标宜符合表3.2.1的要求。

表 3.2.1 重油质量指标

元素组成(%)			低发热值 (MJ/kg)
C	H	O+N	
81~86	11~14	0.5~2	≥40

3.2.2 使用天然气作燃料时,天然气的低发热值不宜小于 $31.4MJ/m^3$。

3.2.3 使用粉煤作燃料时,粉煤的质量指标宜符合表3.2.3的要求。

表3.2.3 粉煤质量指标

低发热值(MJ/kg)	挥发分(%)	灰分(%)	灰分熔点(℃)	水分(%)	粒度
>25	>25.00	<15.00	>1200	<1.50	≤0.074mm的占80%～85%

3.3 熔 剂

3.3.1 再生铜冶炼主要熔剂的化学成分,宜符合表3.3.1的要求。

表3.3.1 熔剂化学成分(%)

名称	SiO_2	CaO	Al_2O_3	Fe_2O_3	MgO	$SiO_2+Al_2O_3$	F
石英石	>85.00	<3.00	<5.00	<3.00	—	—	<0.1
石灰石	—	>50.00	—	—	<3.50	<3.00	—
赤铁矿	—	—	—	含Fe>60%	—	—	—

3.3.2 熔剂的粒度宜符合表3.3.2的要求。

表3.3.2 熔剂的粒度(mm)

工序	石英石	石灰石	赤铁矿
浸没式顶吹熔池熔炼	<15	<15	<15
顶吹旋转转炉熔炼	<15	<15	<15
火法精炼	<10	—	—

4 原料预处理

4.1 一般规定

4.1.1 含铜废物的拆解作业场所应设在厂房内。

4.1.2 含铜废物应按特性分类贮存。贮存场地地面应硬化,并应具有防雨、防风等功能。

4.1.3 含铜废物拆解可采用机械拆解与人工拆解相结合的方式,并应符合下列规定:

  1 含油的含铜废物拆解应配套单独设施收集废油等液态废物;

  2 切割作业区应配套移动式净化设备。

4.1.4 拆解后的物料应分类堆放。

4.1.5 拆解后的物料应根据炉型对物料的适应情况确定是否打包。

4.2 原料拆解

4.2.1 废电线电缆拆解宜配套拆解设备,直径大于3mm的粗电线电缆拆解设备宜选用剥线机;中、细电线电缆拆解设备宜选用成套自动化处理机械设备。

4.2.2 废电机拆解应采用人工与机械相结合的方式,宜配套带磁选的破碎分选机。

4.2.3 废五金拆解应采用人工与机械相结合的方式,可配套带磁选的破碎分选机。

5 火法冶炼

5.1 高品位废杂铜火法精炼

5.1.1 高品位废杂铜处理的工艺流程应根据生产规模、原料、燃料等条件,经方案比较后确定。

5.1.2 高品位废杂铜应采用经包括"加料熔化、氧化造渣、还原、浇铸阳极板"过程的火法精炼工艺生产阳极铜。

5.1.3 高品位废杂铜火法精炼可选用倾动炉、精炼摇炉、NGL炉、回转式阳极炉、固定式阳极炉等。

5.1.4 倾动炉、精炼摇炉、NGL炉、回转式阳极炉的选型规格不宜小于200t,固定式阳极炉的选型规格不宜小于100t。

5.1.5 回转式精炼炉的驱动装置应具有快、慢两种转速,并应具有紧急停止时炉体能转动到安全位置的功能,同时应设置双电源或直流电源供电系统。

5.1.6 倾动式精炼炉的液压驱动装置,必须具有紧急停止时炉体能自动倾动到安全位置的功能。

5.1.7 精炼炉加料宜设置机械加料装置,松散物料宜打包。

5.1.8 精炼炉宜采用稀氧燃烧或富氧燃烧。

5.1.9 回转式精炼炉和倾动式精炼炉宜采用氮气搅拌技术。

5.1.10 精炼炉炉后宜设置烟气二次燃烧和烟气余热回收装置。当回转式和倾动式精炼炉采用稀氧燃烧技术时,可不设烟气余热回收装置。

5.1.11 精炼炉应设置烟气净化装置。

5.1.12 精炼炉的燃料宜采用天然气或低硫重油,火法精炼还原剂宜采用天然气、液化石油气或煤基固体还原剂等,还原剂含硫宜低于0.5%。

5.1.13 高品位废杂铜火法精炼不得使用直接燃煤的固定式阳极炉。

5.1.14 固定式阳极炉等精炼炉采用气体还原剂进行还原作业时,必须设置还原剂管道及插管的固定装置,严禁人工持管进行还原操作。

5.1.15 精炼炉的加料口、放铜口、放渣口应设置集烟罩,捕集的烟气应经净化处理达标后排放。

5.1.16 精炼炉年作业时间应大于300d。

5.1.17 高品位废杂铜精炼产出的阳极铜含铜应高于99%。

5.1.18 高品位废杂铜火法精炼工序的铜回收率不宜小于99.8%。

5.1.19 阳极浇铸设备宜采用自动定量圆盘浇铸机。

5.1.20 阳极浇铸宜符合下列规定:

 1 阳极板重量允许偏差宜为±2%;

 2 阳极板合格率不宜小于96%;

 3 每炉阳极铜浇铸时间不宜超过6h。

5.1.21 精炼炉和浇铸机冷却水应循环使用。

5.1.22 精炼炉冶炼过程中,必须对炉体冷却元件连续供水,不得中断,水压应稳定。

5.1.23 精炼炉冷却水应使用低硬度的净化水,净化水悬浮物不宜大于20mg/L,硬度不宜大于1.4mmol/L。

5.2 中、低品位废杂铜火法冶炼

5.2.1 中、低品位废杂铜的火法冶炼工艺流程,应根据生产规模、原料、燃料等条件,经方案比较后确定。

5.2.2 中、低品位废杂铜的火法冶炼宜采用包括"熔炼—吹炼"过程的火法冶炼工艺流程产出粗铜,再经火法精炼产出阳极铜。"熔炼—吹炼"过程可选用熔池熔炼炉、顶吹旋转转炉,产出的熔融粗铜宜送至回转式阳极炉精炼生产阳极铜。

5.2.3 熔池熔炼炉、顶吹旋转转炉年作业时间应大于300d。

5.2.4 浸没式顶吹熔池熔炼炉入炉原料粒度宜小于100mm,熔剂的粒度宜小于15mm,还原块煤的粒度宜小于15mm;顶吹旋转转炉入炉原料的粒度宜小于500mm,熔剂的粒度宜小于15mm。

5.2.5 熔池熔炼炉、顶吹旋转转炉宜采用间断作业。精炼炉的作业制度应与熔池熔炼炉、顶吹旋转转炉匹配。

5.2.6 中、低品位废杂铜的火法冶炼可根据实际情况采用天然气、低硫重油、粉煤等燃料。

5.2.7 回转式阳极炉的还原剂宜采用天然气、液化石油气或煤基固体还原剂等,还原剂含硫宜低于0.5%。

5.2.8 浸没式顶吹熔池熔炼炉的鼓风富氧浓度宜为30%～65%,顶吹旋转转炉熔炼期鼓风富氧浓度宜为85.0%～99.6%,顶吹旋转转炉吹炼期鼓风富氧浓度宜为21%～27%;回转式阳极炉可采用稀氧燃烧、富氧燃烧或普通空气燃烧。

5.2.9 中、低品位废杂铜火法冶炼产生的烟尘应综合回收其中所含的有价金属。

5.2.10 熔池熔炼炉应设置烟气余热回收装置,顶吹旋转转炉后宜设置烟气余热回收装置;精炼炉后应设置二次燃烧和烟气余热回收装置,当采用稀氧燃烧技术时,可不设烟气余热回收装置。

5.2.11 中、低品位废杂铜火法冶炼应设置烟气净化装置。

5.2.12 顶吹旋转转炉应设置密闭良好的环保烟罩;回转式阳极炉的加料口、放铜口应设置集烟罩。

5.2.13 浸没式顶吹熔池熔炼炉炉顶加料口、喷枪口或风口、备用燃烧器入口、取样与检测口,应采取密封装置。

5.2.14 回转式阳极炉宜采用氮气搅拌技术。

5.2.15 "熔炼—吹炼"产出的粗铜含铜不应小于93%。

5.2.16 火法精炼产出的阳极铜含铜应大于99%。

5.2.17 熔池熔炼炉、顶吹旋转转炉渣含铜不宜大于1.0%。

5.2.18 吊运熔融粗铜的起重运输机必须选用冶金铸造起重机。

5.2.19 熔池熔炼炉安全措施应符合下列规定:

1 浸没式顶吹熔池熔炼炉的喷枪必须设置紧急提升装置,且必须设置双电源或直流电源供电系统。喷枪提升系统与给料胶带运输系统间应设置联锁装置;

2 底吹熔池熔炼炉必须设置事故停电时的安全倾转装置,且必须设置双电源或直流电源供电系统;

3 浸没式顶吹熔池熔炼炉必须设置防止泡沫渣装置和采用泡沫渣控制技术;

4 炉体冷却元件供水不得中断,水压应稳定。

5.2.20 顶吹旋转转炉安全措施应符合下列规定:

1 喷枪必须设置紧急提升装置,喷枪提升与箕斗加料装置应设置联锁装置;

2 喷枪冷却元件供水不得中断,水压应稳定。出现供水水压降低或泄漏时,喷枪应自动撤出炉体,并应设置喷枪水泄漏检测装置。

5.2.21 回转式阳极炉安全措施必须符合下列规定:

1 回转式阳极炉的驱动装置应具有快、慢两种转速,并应具有紧急停止时炉体能转动到安全位置的功能,同时应设置双电源或直流电源供电系统;

2 回转式阳极炉冶炼过程中,必须对炉体冷却元件连续供水,不得中断,水压应稳定。

5.2.22 精炼产出的阳极铜宜采用自动定量圆盘浇铸机浇铸成阳极板。

5.2.23 浇铸宜符合下列规定:

1 阳极板重量允许偏差宜为±2%;

2 阳极板合格率不宜小于96%;

3 每炉阳极铜浇铸时间不宜超过6h。

5.2.24 精炼炉和浇铸机冷却水应循环使用。

5.2.25 熔池熔炼炉、顶吹旋转转炉、回转式阳极炉炉体及喷枪的冷却水,应使用低硬度的净化水,净化水悬浮物不宜大于20mg/L,硬度不宜大于1.4mmol/L。

6 冶金炉烟气处理

6.1 一般规定

6.1.1 冶金炉产出的含尘烟气应通过烟气处理设施捕集烟尘,并应符合下列规定:

    1 烟尘应回收综合利用;

    2 烟尘应根据现行国家标准《危险废物鉴别标准》GB 5085的有关规定进行鉴别,判定为危险废物时,烟尘的贮存和处理应符合国家有关危险废物的规定。

6.1.2 烟气处理系统排风机宜采用变频调速控制。

6.1.3 烟气处理系统应采取保温隔热措施。

6.1.4 烟囱的高度应根据有害物质的绝对排放量及污染源所在地的环境空气质量功能区类别,按现行国家标准《大气污染物综合排放标准》GB 16297 的要求确定,并应高出周围 200m 半径范围的最高建筑物 3m 以上。

6.1.5 烟气处理后经烟囱排放,其污染物的排放浓度应达到现行国家标准《工业炉窑大气污染物排放标准》GB 9078 的要求。

6.1.6 在烟气排放总管或烟囱上宜设置烟气在线监测系统。

6.2 高品位废杂铜火法精炼烟气处理

6.2.1 高品位废杂铜火法精炼烟气宜进行余热利用,可设置余热锅炉生产蒸汽或与空气进行换热生产热风供精炼炉使用,并宜采取控制二噁英污染的技术措施。当采用稀氧燃烧技术时,可不设置烟气余热回收装置。

6.2.2 烟气处理系统应设置布袋收尘器收集烟气中的烟尘,并应符合下列规定:

1 布袋收尘器入口烟气温度宜为120℃～200℃；

2 布袋收尘器宜采用离线脉冲清灰方式清灰，清灰控制宜采用自动控制；

3 布袋收尘器壳体应采用蒸汽伴热或电伴热；

4 布袋收尘器应采用密闭排灰。

6.3 中、低品位废杂铜火法冶炼烟气处理

6.3.1 中、低品位废杂铜火法冶炼烟气处理工艺应根据冶炼工艺及冶金炉烟气污染物成分的不同确定，可采用干法、湿法或干湿法组合的烟气处理工艺，并应采取控制二噁英污染的技术措施。

6.3.2 熔池熔炼炉应设置烟气余热回收装置，顶吹旋转转炉后宜设置烟气余热回收装置，并应控制余热锅炉出口的烟气温度不低于500℃。

6.3.3 采用干法或干湿法组合的烟气处理工艺时，烟气处理系统应设置急冷设备，烟气在急冷设备内停留的时间不应大于1s，出口烟气温度不应高于200℃。

6.3.4 当烟气中含有二氧化硫、氯化氢和溴化氢等酸性物质并采用干法烟气处理工艺时，宜在急冷设备的供液系统中添加碱。

6.3.5 采用干法烟气处理工艺时，应设置布袋收尘器收集烟气中的烟尘，并应符合下列规定：

1 布袋收尘器入口烟气温度的允许范围宜为120℃～200℃；

2 布袋收尘器宜采用离线脉冲清灰方式清灰，清灰控制宜采用自动控制；

3 布袋收尘器壳体应采用蒸汽伴热或电伴热；

4 布袋收尘器应采用密闭排灰。

6.3.6 采用干法烟气处理工艺时，应在布袋收尘器前设置粉状活性炭等吸附剂添加系统。

6.3.7 采用干湿法组合烟气处理工艺时，应符合下列规定：

  1 湿法烟气处理设备应设置在干法烟气处理设备后；
  2 湿法脱酸设备出口宜设置除雾设备。
6.3.8 采用全湿法烟气处理工艺时，应符合下列规定：
  1 全湿法烟气处理系统应包括湿法急冷设备和湿法收尘设备；
  2 烟气处理系统宜设置除雾设备对湿烟气进行除雾后再送排风机；
  3 湿法烟气处理系统宜设置沉降槽、压滤机等烟尘回收设备。
6.3.9 当烟气中含有二氧化硫、氯化氢和溴化氢等酸性物质并采用全湿法烟气处理工艺时，宜在湿法烟气处理设备的供液系统中添加碱或单独设置脱酸设备。
6.3.10 采用湿法烟气处理工艺时，应对产生的废水进行处理。

7 电解精炼

7.0.1 10万t/a及以上规模的铜电解精炼应采用大型极板和大型电解槽,以及相应的极板作业机组和多功能专用起重机。

7.0.2 电解精炼应根据建设条件,经技术经济论证确定采用始极片阴极电解工艺或永久阴极电解工艺。规模在20万t/a及以上时,宜采用永久阴极电解工艺。

7.0.3 采用大极板始极片阴极电解时,极板作业宜配有阳极作业机组、始极片作业机组、阴极作业机组、残极作业机组、导电棒机组、吊耳切割机组;采用永久阴极电解时,极板作业宜配有阳极作业机组、残极作业机组、阴极剥片机组。

7.0.4 极板作业机组处理的极板精度应符合下列规定:

    1 阳极悬垂度允许偏差宜为±3mm,阳极排列间距允许偏差宜为±1.5mm;

    2 阴极悬垂度允许偏差宜为±6mm,始极片排列间距允许偏差宜为±1.5mm;

    3 吊耳尺寸允许偏差宜为±1mm,平面度允许偏差宜为±2mm。

7.0.5 电解车间应选用工作级别为A7的起重运输机,可选用具有自动定位、阴极阳极同时起吊等功能的专用起重运输机。

7.0.6 电解精炼指标宜符合表7.0.6的规定。

表7.0.6 电解精炼指标

指标名称	始极片阴极电解	永久阴极电解	备注
年生产时间(d)	≥350	≥350	—
电流效率(%)	≥96	≥96	—
电流密度(A/m²)	230~280	280~330	—
槽电压(mV)	250~300	300~400	—

续表 7.0.6

指标名称	始极片阴极电解	永久阴极电解	备注
电解液温度(℃)	60~65	60~65	—
铜回收率(%)	>99.60	>99.60	包括电解液净化
残极率(%)	≤20	≤16	
同极中心距(mm)	100~105	90~100	大极板
直流电耗(kW·h/t阴极铜)	240~280	270~350	
蒸汽消耗(kg/t阴极铜)	600~800	300~500	—

7.0.7 电解液中铜及游离硫酸成分宜符合下列规定：

1 始极片阴极电解的铜离子浓度允许范围宜为 40g/L～45g/L，游离硫酸允许范围宜为 170g/L～200g/L；

2 永久阴极电解的铜离子浓度允许范围宜为 40g/L～50g/L，游离硫酸允许范围宜为 170g/L～200g/L。

7.0.8 电解液中杂质含量锑宜小于 0.6g/L，镍宜小于 15g/L，砷宜小于 10g/L，铋宜小于 0.5g/L，铁宜小于 3g/L。

7.0.9 阴极铜质量应符合现行国家标准《阴极铜》GB/T 467 中有关高纯阴极铜或标准阴极铜的规定。

7.0.10 电解液加热宜采用板式换热器。电解液加热蒸汽冷凝水应设置回收系统。

7.0.11 电解车间的各种酸性含铜废水应循环使用，不得外排。

7.0.12 电解槽及室外贮槽、管道宜采取保温措施。电解槽面宜覆盖保温。

7.0.13 电解液循环系统各贮槽应加密封盖及排气净化处理装置。车间内酸雾浓度应符合国家现行有关工业企业设计卫生标准的规定。

7.0.14 大型电解槽供电系统的电解槽分组断电作业，应采用设置于导电母排上的遥控短路开闭器进行。

7.0.15 电解槽与支撑梁之间应设置绝缘装置。

7.0.16 种板槽宜单独设置直流电源、电解液循环和添加剂加入系统。

7.0.17 种板槽循环电解液宜采用全过滤方式。

7.0.18 生产槽电解液过滤量不宜低于电解液循环量的20%。过滤设备宜采用高效的净化过滤机。

7.0.19 电解生产控制宜采用集散控制系统或可编程控制器。

7.0.20 电解液循环系统各贮槽应设置液位检测及报警系统。

7.0.21 电解液加热应设置温度自动调节控制系统。

7.0.22 电解液循环泵与电解液加热器进蒸汽阀门及高位槽出液口阀门之间应设置联锁。

7.0.23 电解整流器应选择可控硅整流机组。

7.0.24 电解厂房冬季温度不应低于15℃,北方地区厂房内应采暖保温。

7.0.25 机组附近应配设极板贮备架。

7.0.26 阴极铜成品库贮存天数允许范围宜为5d~10d,成品库内应设置起重运输及计量设备。

8 电解液净化

8.0.1 电解液净化应根据需脱除的杂质和副产品销路确定工艺流程。

8.0.2 粗硫酸铜生产宜采用高酸结晶工艺。粗硫酸铜产品质量应符合现行国家标准《硫酸铜(农用)》GB 437 的有关规定。

8.0.3 采用高酸结晶法生产硫酸铜时,浓缩结晶宜采用连续真空蒸发工艺,蒸发设备宜选择板式或列管式蒸发器和水喷射真空泵节能型设备。

8.0.4 脱铜电解宜采用二段脱铜。

8.0.5 脱铜电解后的溶液应采用蒸汽蒸发结晶、冷冻结晶或电热蒸发结晶生产粗硫酸镍。

8.0.6 脱铜电解槽面必须设置排气罩及机械排风装置。排风装置的风机与脱铜电解整流设备之间必须设置联锁。

8.0.7 采用蒸汽加热蒸发结晶法生产粗硫酸铜或硫酸镍时,加热蒸汽冷凝水应设置回收系统,地面收集的废水应过滤后返回系统使用。

8.0.8 副产品粗硫酸铜、黑铜粉及粗硫酸镍应在室内分类堆存。

8.0.9 电解液净化系统年生产时间宜大于 320d。

9 工艺配置

9.1 一般规定

9.1.1 工艺配置应满足工艺流程及环保、安全、职业卫生等要求。

9.1.2 工艺配置应保证车间各种物料的运输线路畅通和运输方式合理。

9.1.3 工艺配置除应包括工艺设备的配置外,还应包括操作、检修、安装场地及物料堆场的配置,并应符合其他专业的设计要求。

9.1.4 当分期建设时,工艺配置应满足后期建设的合理性。

9.1.5 车间厂房柱距和跨度宜满足构件的统一化、标准化要求。

9.1.6 车间内主要通道楼梯坡度不宜大于45°。

9.2 原料预处理

9.2.1 原料预处理厂房应设置原料卸货区、拆解作业区和贮料区,并应设立区分标识。

9.2.2 拆解后的废杂铜原料应按高、中、低类别分别堆存。

9.2.3 拆解后的废杂铜原料应设置不可回收物资与危险废物贮存区。

9.2.4 原料预处理厂房周围场面水应设置回收系统。

9.3 原料打包

9.3.1 废杂铜原料打包应符合下列规定:

　　1 打包设备不应露天设置,宜设置在原料堆场附近,并应毗邻熔炼系统;

　　2 打包厂房内宜设置检修打包设备的起重机;

　　3 打包厂房内应有原料暂存和包块堆存场地。

9.3.2 打包机应放置在油和水都接触不到的场所,不宜放置在低温仓库或温度变化剧烈的场所。

9.4 高品位废杂铜火法精炼

9.4.1 当精炼炉与中、低品位废杂铜熔炼炉匹配时,宜与中、低品位熔炼炉共用冶金铸造起重机通道,宜配置在熔炼炉同侧的一端,炉子间的间距应根据炉子容量和余热回收、烟气处理等附属设施确定。

9.4.2 浇铸机宜配置在精炼炉后的专用附跨内,2台精炼炉宜共用1台浇铸机,浇铸机宜配置在2台精炼炉之间。附跨厂房应设置桥式起重机和计量设施。

9.4.3 精炼炉炉前应有供加料机行走及操作的场地,应留有操作人员的安全通道。

9.4.4 固体铜料、残极、阳极板等的堆放、起运,均应留有作业场地。

9.4.5 浇铸附跨内应就近配置浇铸机的浇铸包、中间包及放铜流槽等的检修和烘烤专用场地。

9.5 中、低品位废杂铜火法冶炼

9.5.1 炉体周围梁柱应采用耐热或绝热材料隔热,粗铜安全坑应防渗透、防积水。

9.5.2 炉底周边1.5m内以及粗铜和渣溜槽下方不得敷设电缆及设置水管阀门井。

9.5.3 熔池熔炼炉和顶吹旋转转炉车间的配置应符合下列要求:

    1 熔池熔炼炉产出的粗铜宜通过流槽直接加入,也可通过包子吊运加入精炼炉;顶吹旋转转炉产出的粗铜宜通过包子吊运加入精炼炉;

    2 熔池熔炼炉或顶吹旋转转炉上升烟道应与余热锅炉一体化配置;

3 熔池熔炼炉或顶吹旋转转炉应设置加料作业、熔体排放作业、喷枪作业等楼层,并应留有喷枪更换、移动小车的作业空间;

4 厂房内应设检修提升装置,并宜设电梯。

9.6 电解精炼

9.6.1 电解精炼设计规模范围为10万t/a～20万t/a时,电解厂房主跨宜采用单跨配置;电解精炼设计规模在20万t/a以上时,电解厂房主跨宜采用双跨配置。

9.6.2 极板加工机组宜配置在电解厂房中间。当需扩大产能时,机组宜配置在厂房需延长方向的一端。

9.6.3 极板加工机组配置在电解厂房端头时,阴极铜和残极作业机组宜靠近电解槽一侧布置。采用始极片阴极电解时,机组配置顺序宜为从厂房端头依次配置阳极作业机组、始极片作业机组、导电棒机组、阴极作业机组及残极作业机组;采用永久阴极电解时,机组配置顺序宜为从厂房端头依次配置阳极作业机组、残极作业机组、阴极剥片机组。

9.6.4 电解厂房主跨可采用大跨度钢屋架结构。电解槽宜按4个系列分组配置。每组电解槽的数量应根据装出槽作业计划、电解槽作业率、短路开关设置数量等因素确定。

9.6.5 电解槽操作楼面标高允许范围宜为3.8m～4.5m。电解槽面高出楼面允许范围宜为400mm～500mm。

9.6.6 电解厂房主跨起重机配置应符合下列规定:

1 起重机工作时,吊物最低点距离电解槽槽面高度宜大于2m;

2 起重机工作时,最高起运点距吊钩的极限位置不应小于1m的高度;

3 多功能专用起重机驾驶室底标高距电解槽槽面高度宜大于2.2m;

4 起重机驾驶室应靠近无附跨一侧。

9.6.7 电解厂房主跨在种板电解槽配置一侧,应留有18m～24m的种板剥片及处理场地。

9.6.8 电解厂房主跨一端应留有起重机检修场地。

9.6.9 厂房±0.00平面与贮液槽周围地面应设置排水沟和集液坑,其他各层楼面应设置地漏。

9.6.10 硫酸贮槽应设置防泄漏围堰。

9.6.11 浓硫酸贮槽及电解槽面操作场所附近,应设置洗眼器和紧急喷淋装置等应急设施。

9.7 电解液净化

9.7.1 净液厂房应邻近电解厂房附跨一侧布置。

9.7.2 脱铜电解宜配置在厂房一端,并应与其他工序隔开布置。

9.7.3 硫酸铜设备宜按三层布置,结晶槽宜配置在第三层,过滤设备宜配置在第二层,溶液贮槽宜配置在±0.00平面。

9.7.4 厂房±0.00平面与贮液槽周围地面应设置排水沟和集液坑,其他各层楼面应设置地漏。

9.7.5 脱铜电解槽面操作场所附近,应设置洗眼器和紧急喷淋装置等应急设施。

10 冶金计算

10.0.1 再生铜冶炼冶金计算应以废杂铜原料化学成分、熔剂化学成分、燃料化学成分等资料作为冶金计算原始依据。

10.0.2 火法冶金计算宜以再生铜原料（t/a）为计算基准，电解精炼冶金计算宜按阴极铜（t/a）为计算基准，数字应精确到小数点后两位，后三位数应四舍五入。

10.0.3 冶金计算平衡表中物料的计量单位应符合表10.0.3的规定。

表10.0.3 冶金计算平衡表中物料的计量单位

物 料 名 称	计 量 单 位
物料及一般元素的数量	吨（t）
稀贵元素	千克（kg）
液体数量	米³（m³）
液体成分	千克/米³（kg/m³）
	克/升（g/L）
气体数量	米³（m³）
气体成分	体积百分数（%）
气体含尘量	克/米³（g/m³）
热量	兆焦（MJ）
时间	小时（h）
	日（d）
	年（a）

10.0.4 冶金计算内容应包括物料平衡、金属平衡、热平衡、溶液平衡、空气和氧气的消耗量、烟气量、烟气成分及含尘量等。各工

序冶金计算的内容,应按表10.0.4的规定编制,其中物料平衡可含金属平衡。

表10.0.4 冶金计算内容

计算内容 工序	物料平衡	金属平衡	热平衡	溶液平衡	空气量	氧气量	烟气量及烟气成分
中、低品位火法冶炼	√	√	√	—	√	√	√
高品位火法精炼	√	√	√	—	√	√	√
电解精炼	√	√	√	√	—	—	—
电解液净化	√	√	—	√	—	—	—

本规范用词说明

1 为便于在执行本规范条文时区别对待,对要求严格程度不同的用词说明如下:
　　1)表示很严格,非这样做不可的:
　　　　正面词采用"必须",反面词采用"严禁";
　　2)表示严格,在正常情况下均应这样做的:
　　　　正面词采用"应",反面词采用"不应"或"不得";
　　3)表示允许稍有选择,在条件许可时首先应这样做的:
　　　　正面词采用"宜",反面词采用"不宜";
　　4)表示有选择,在一定条件下可以这样做的,采用"可"。
2 条文中指明应按其他有关标准执行的写法为:"应符合……的规定"或"应按……执行"。

引用标准名录

《硫酸铜(农用)》GB 437
《阴极铜》GB/T 467
《危险废物鉴别标准》GB 5085
《工业炉窑大气污染物排放标准》GB 9078
《大气污染物综合排放标准》GB 16297
《铜冶炼企业单位产品能源消耗限额》GB 21248

中华人民共和国国家标准

再生铜冶炼厂工艺设计规范

GB 51030-2014

条 文 说 明

制 订 说 明

《再生铜冶炼厂工艺设计规范》GB 51030—2014 经住房城乡建设部 2014 年 8 月 27 日以第 532 号公告批准发布。

本规范制订过程中,编制组进行了深入的调查研究,认真总结了近年来再生铜冶炼行业的实践经验,并广泛征求了意见。

为便于广大设计、生产、施工、科研、学校等单位有关人员在使用本规范时能正确理解和执行条文规定,《再生铜冶炼厂工艺设计规范》编制组按章、节、条顺序编制了本规范的条文说明,对条文规定的目的、依据以及执行中需注意的有关事项进行了说明,还着重对强制性条文的强制性理由作了解释。本条文说明不具备与规范正文同等的法律效力,仅供使用者作为理解和把握规范规定的参考。

目 次

- 1 总　　则 ……………………………………………………（33）
- 2 术　　语 ……………………………………………………（35）
- 3 原料、燃料、熔剂 …………………………………………（36）
  - 3.1 废杂铜原料 ……………………………………………（36）
  - 3.2 燃料 ……………………………………………………（36）
  - 3.3 熔剂 ……………………………………………………（36）
- 4 原料预处理 …………………………………………………（38）
  - 4.1 一般规定 ………………………………………………（38）
  - 4.2 原料拆解 ………………………………………………（38）
- 5 火法冶炼 ……………………………………………………（40）
  - 5.1 高品位废杂铜火法精炼 ………………………………（40）
  - 5.2 中、低品位废杂铜火法冶炼 …………………………（43）
- 6 冶金炉烟气处理 ……………………………………………（48）
  - 6.1 一般规定 ………………………………………………（48）
  - 6.2 高品位废杂铜火法精炼烟气处理 ……………………（49）
  - 6.3 中、低品位废杂铜火法冶炼烟气处理 ………………（50）
- 7 电解精炼 ……………………………………………………（53）
- 8 电解液净化 …………………………………………………（60）
- 9 工艺配置 ……………………………………………………（62）
  - 9.1 一般规定 ………………………………………………（62）
  - 9.2 原料预处理 ……………………………………………（62）
  - 9.3 原料打包 ………………………………………………（63）
  - 9.4 高品位废杂铜火法精炼 ………………………………（63）

9.5　中、低品位废杂铜火法冶炼 ………………………………（63）

　9.6　电解精炼 …………………………………………………（64）

　9.7　电解液净化 ………………………………………………（65）

10　冶金计算 ………………………………………………………（66）

1 总 则

1.0.1 再生铜冶炼历经数十年的发展,日趋完善,已成为铜冶炼的独立分支,特别是近十年来一些新的再生铜冶炼技术逐步取代了传统冶炼工艺,再生资源的利用成为循环经济的重要组成部分。为不断推动技术进步,确保再生铜冶炼厂的安全生产、环境保护和节能减排,提高设计质量和效率,制定本规范更有利于统一再生铜冶炼厂工艺设计技术标准,使再生铜冶炼厂的设计能符合国家产业政策,促进再生铜冶炼工业持续健康发展。

1.0.2 本规范针对再生铜冶炼厂在工艺方案、工艺参数、技术指标、设备选型、冶金计算、工艺配置、过程控制、污染控制、能耗控制、安全及职业卫生等方面作出规定。本规范除了指导和规范新建再生铜冶炼厂的工艺设计外,也适用于现有再生铜冶炼厂的改造和扩建设计。

1.0.3 厂址选择是新建项目前期的重要工作之一,必须予以足够的重视,应符合《铜冶炼行业规范条件》(中华人民共和国工业和信息化部2014年第29号公告)中关于生产企业布局的规定。

再生铜项目还应符合本地区土地供应政策和土地使用标准的规定,厂址应进行多方案比较,以便选择经济合理的厂址。

1.0.4 近年来,围绕环境保护、节约能源消耗、提高产品质量、提高生产效率、降低经营成本等目标,再生铜冶炼工业相继引进和开发诸多新技术、新设备和新材料,在设计中应积极采用,使建设项目各项技术经济指标达到国内外的先进水平。

1.0.5 能源问题是涉及我国经济社会可持续发展的大事,再生铜冶炼厂工艺设计要综合考虑合理利用能源、节约能源、回收生产过程的余热,单位产品综合能耗应符合国家能耗限额标准。在项目的可行性研究报告阶段应编制节能篇（章），为项目的节能评估提供依据。

1.0.6 环保、安全、职业卫生及消防是再生铜冶炼厂设计的重要内容，是企业安全稳定运行的保证。再生铜冶炼厂设计必须遵循国家和建设项目所在地区的有关法律、法规，上述内容的设计应与主体工程同时设计、施工和投产，应在设计文件中设有专门章节予以论述。

1.0.7 计量工作是强化企业管理、降低原辅材料及能源消耗、提高金属回收率、改善企业经营效果、促进冶炼技术进步的重要技术基础工作，设计中应重视对计量设施的设计。

2 术　　语

为统一再生铜冶炼行业基本术语,实现专业术语标准化,以利于国内科技交流,本章从本规范中选取了再生铜冶炼行业的 8 个常用术语作出解释,并附上英文翻译。

术语的释义主要参照原中国有色金属工业总公司颁布的《重有色金属冶炼术语标准》YSJ 020,并结合再生铜冶炼的特点作了必要补充。

3 原料、燃料、熔剂

3.1 废杂铜原料

3.1.1、3.1.2 再生铜冶炼厂处理的原料不同于矿山原料,是对废旧资源的再生利用,主要原料为废杂铜。

废杂铜种类繁杂,根据现代先进成熟的废杂铜火法冶炼方法的不同,再生铜冶炼厂在实际生产过程中往往将废杂铜原料按含铜品位划分为高、中、低品位废杂铜原料三大类。高品位废杂铜只需采用火法精炼就可产出阳极铜,而中、低品位废杂铜料则先要在熔炼炉内进行熔炼、吹炼产出粗铜,再经火法精炼产出阳极铜。最终阳极铜经电解精炼获得阴极铜。

废杂铜原料在入炉熔炼之前必须进行拆解、剥皮、破碎分离、清除有机物等不同的预处理,将废铜之中的非铜物质最大限度地分离出去,避免这些杂质在熔炼过程中产生污染。

表3.1.2中列举的主要品种参考了现行国家标准《铜及铜合金废料》GB/T 13587的规定。

3.2 燃 料

3.2.1~3.2.3 再生铜冶炼对所需的各种燃料均有一定的质量要求,如果达不到所需的要求,将会影响炉温,并出现冶炼反应不完全、产品质量低劣以及操作困难等问题。本节根据国内外各再生铜冶炼企业的生产实践,参考有关文献资料,分类对常用燃料提出了质量要求。

3.3 熔 剂

3.3.1、3.3.2 熔剂是再生铜冶炼的主要辅助材料,不同的工艺和炉型要求不同粒度的熔剂,否则将直接影响冶炼作业的进行和效果。熔剂的化学成分与炉渣性质、产品质量、金属回收率等密切相关,根据各再生铜冶炼厂的生产实践和有关文献资料综合得出两个表中所示的各项要求。

4 原料预处理

4.1 一般规定

4.1.1 为防止在拆解过程中拆除下来的各类物质由于起风和降雨等原因造成散落、遗洒、泄漏等,防止含铜废物及其拆解产物携带的尘污、油污被雨水冲刷造成环境污染,禁止露天拆解含铜废物。

4.1.3 含铜废物可以以多种方式进行拆解,包括人工拆解、机械拆解等。发达国家一般采用机械拆解的工艺,但是单纯采用这一工艺方式,往往会使大量的非金属废物无法有效分离与利用,这些废物中含有塑料和橡胶;另外,单纯的机械拆解会造成铜与铁、铝等金属分离困难,降低废钢、废铝品质或者增加废钢、废铝回收成本。

因此应按含铜废物的特性进行分类,采用机械拆解与人工拆解二者相结合的方式,不仅可以提高再生品的附加值,还可提高拆解效率。与此同时,需考虑作业人员健康及环境保护等因素:

1 含油的含铜废物拆解过程中,残余的废油等液态物质如果没有得到有效的单独收集,让废油液随意渗入地下,会造成土壤和地下水的污染,因此应收集废油等液态废物。

2 采用切割机对含铜废物进行拆解时,产生的切割烟尘等对作业环境及作业人员健康均有较大影响。由于切割机视工作情况需要移动,因此,应配备移动式净化设备,从源头处直接吸除烟尘,保护作业环境及作业人员健康。

4.1.5 松散物料打包后,不仅可以降低运输和冶炼成本,还可以提高入炉速度,进而提高工作效率。

4.2 原料拆解

4.2.1 废电线电缆资源化再利用主要是将覆于铜线外缘的塑料

等物质予以分离,使铜线得以熔炼再生。目前再利用方式有机械法、化学法、冷冻法和热解法等。机械法是目前国内外使用最广泛的方法,其原理主要是利用机械将电线电缆中的金属与非金属进行分离,并分别作为再生资源。直径大于3mm的粗电线电缆易于分离,适合剥线机作业;直径介于0.5mm~3mm的中电线电缆、直径小于0.5mm的细电线电缆相互缠绕严重,用电线电缆成套处理设备进行处理,能够自动将长短不一、凌乱的电线头的橡胶皮与金属分离。如遇特殊情况,如直径小于0.5mm的细电线电缆拆解量小于10t/d,也可选用摇床。

4.2.2 废电机中主要含有废铜、废钢铁等。整机尺寸直径小于100mm的微型电机拆解设备宜选用带磁选的破碎分选机。整机尺寸直径介于100mm~400mm的普通电机宜先人工拆解,拆解后的直径大于150mm的大转子宜采用压力机分离钢铁部件,直径大于150mm的大定子宜采用斩铜机、拉铜机将铜线圈与硅钢片分离,直径小于150mm的小转子、小定子宜采用带磁选的破碎分选机将铜和矽钢片分离。整机尺寸直径大于400mm的特大电机宜先人工切割,切割后的物料采用普通电机拆解分离。因此,配套带磁选的破碎分选机能有效提高拆解量。

4.2.3 废五金电器中常见的有各种小型废机械设备、零部件、废电器和零部件、废水暖件、废炊具等,这些废料多数是混杂在一起的。废五金电器必须经过拆解、分类得到废钢铁、废有色金属等方可利用。作业过程通常是先将废五金电器整机喂入多级机械破碎系统,各种零部件破碎至一定尺度后依次采取重力分选、静电分选、磁选等多种分选技术,分离出铁、铜、铝、塑料、玻璃等不同材料。也可以采用高度机械化和自动化配合人工拆解工序,在破碎前进行最大程度的人工拆解。因此,配套带磁选的破碎分选机可有效提高工作效率。

5 火 法 冶 炼

5.1 高品位废杂铜火法精炼

5.1.1 高品位废杂铜处理工艺流程应根据生产规模、装备水平、原料品位、产品方案、燃料种类、当地建设条件等,经多方案比较后选择合理的工艺流程和设备。

5.1.2 含铜品位大于90%属高品位废杂铜,由于原料含铜量高,不必经熔炼和吹炼,而是直接经火法精炼产出阳极铜。火法精炼工艺包括加料熔化、氧化造渣、还原、浇铸阳极板四个阶段。合格的阳极板再送至电解。

5.1.3 目前处理高品位废杂铜的火法精炼炉有倾动炉、精炼摇炉、NGL炉、回转式阳极炉、固定式阳极炉等。以上几种精炼炉已经在大型再生铜冶炼厂应用。

5.1.5 回转式精炼炉采用电动驱动方式,工艺控制要求进料、氧化、排渣、还原时用快速转动,浇铸时宜用慢速转动,防止浇铸失控。为确保安全生产,突然停电时必须有能操作炉体转动到安全位置的机构,以便将氧化、还原风眼转出熔体液面或中止放铜口继续出铜,否则熔融粗铜一旦外溢,过流之处电气和设备将烧毁,甚至可能引起火灾造成人员伤亡。故本条为强制性条文,必须严格执行。

5.1.6 倾动式精炼炉是通过液压来驱动,一般速度较慢,但为确保安全生产,突然停电必须有自动复位到安全位置的功能,以便将氧化、还原风眼转出熔体液面或中止放铜口继续出铜,否则熔融粗铜一旦外溢,过流之处电气和设备将烧毁,甚至可能引起火灾造成人员伤亡。故本条为强制性条文,必须严格执行。

5.1.7 废杂铜原料一般都是固体物料,加料的劳动强度比较大,宜设置机械加料装置。目前比较常见的是在叉车上改装,安装一个有长度为3m～4m加料臂的地面式加料机,其加料能力偏小,一般可为固定式阳极炉加料。由叉车配合上料的DDS移动加料机,加料能力较大,可为NGL炉、倾动炉或精炼摇炉加料。

松散物料打包可选用液压打包机,包块的重量和尺寸根据精炼炉加料口大小及加料机能力确定,包块重量一般在800kg～1500kg。

5.1.8 火法精炼炉的供热可采用普通空气燃烧、富氧燃烧和稀氧燃烧三种方式,其中稀氧燃烧是近年来一项先进的燃料燃烧技术,在精炼炉上采用稀氧燃烧供热将会大幅度提高精炼炉的整体技术含量。

5.1.9 国内多家铜冶炼厂在回转式精炼炉和倾动式精炼炉上采用氮气搅拌技术,通过透气砖向铜液中鼓入氮气,增加铜液搅动,加速传热传质,对缩短氧化还原时间、提高还原剂利用率具有明显效果。

5.1.10 精炼过程的还原期烟气一般含有未充分燃烧的炭黑,宜设置二次燃烧室或作用相当于二次燃烧室的其他设施,使其充分燃烧,以防止黑烟污染。

精炼炉出炉烟气温度较高,可设余热锅炉回收烟气余热,也可以设置空气换热器产出热空气作为助燃风。当采用稀氧燃烧技术时,由于烟气量大幅减少,可不设余热锅炉。

5.1.11 高品位废杂铜一般含铅、锌等挥发性杂质,烟气中烟尘含量较多,需经收尘系统处理后才能达标排放,同时烟尘可综合回收铅、锌等有价金属。精炼过程排放的烟气中含低浓度二氧化硫和炭黑,为避免污染环境,烟气应净化达标后排放。

5.1.12 回转式精炼炉、倾动式精炼炉和固定式阳极炉可以使用各种燃料,但有条件时宜使用气体或液体燃料。低硫燃料对烟气处理是有利的。

不同的还原剂有其各自的优缺点,宜从炉型、当地来源及经济性等方面综合比较后确定。由于天然气具有还原速率快,烟气中炭黑量少等优点,具备条件的地区,天然气是最佳选择。重油作为还原剂,存在烟气中炭黑量大的缺点,一般不予采用。采用煤基固体还原剂具有良好的效果。为保证阳极铜的质量,还原剂含硫宜低于0.5%。

5.1.13 《铜冶炼行业规范条件》(中华人民共和国工业和信息化部2014年第29号公告)明确规定禁止使用直接燃煤的反射炉(即固定式阳极炉)熔炼废杂铜。

5.1.14 固定式阳极炉等精炼炉采用气体还原剂时会发生回火现象,如果人工持管,一旦发生回火,极易造成人员伤亡事故。因此,为了保证人身安全,固定式阳极炉进行还原作业时,必须设置还原剂管道及插管的固定装置,严禁人工持管。某厂采用液化石油气还原,就是采用人工持管操作,曾发生回火造成人员伤亡事故。故本条为强制性条文,必须严格执行。

5.1.15 处理高品位废杂铜的精炼炉加料时间长,而且废杂铜可能残留塑料、橡胶等有机物,在入炉的瞬间会产生大量黑烟,部分会从加料口外逸,因此,加料口应设置集烟罩,捕集的烟气经收尘装置处理后排放。

5.1.16 回转式精炼炉和倾动式精炼炉的年作业时间约为330d,固定式阳极炉的年作业时间约为300d。根据国内各工厂实践经验,精炼炉年作业时间都可达300d以上。

5.1.17 实践证明废杂铜原料含铜品位在90%以上时,其火法精炼技术经济指标较好。实际生产中,高品位废杂铜精炼产出的阳极铜品位均在99%以上。

5.1.18 铜回收率在国内生产实践中的平均水平一般为99.60%~99.90%。

5.1.19 自动定量浇铸可将每块阳极的重量偏差控制在±2%,且自动化程度高,劳动强度低。通常浇铸大阳极板的圆盘浇铸机的生产能力为:单圆盘40t/h~85t/h,双圆盘70t/h~110t/h。根据国内外工厂实践,采用自动定量圆盘浇铸机可以达到这些指标。

5.1.20 本条规定每炉阳极铜浇铸时间不宜超过6h是因为浇铸时间过长会增加能耗,铜液温度也随之降低会影响浇铸质量,而且易造成还原后的阳极铜又被氧化导致含氧超标。

5.1.21 精炼炉和浇铸机的冷却水应循环使用,这是重要的节能措施之一。浇铸机的冷却水还应先经沉淀排除铜屑等固体杂物,再经冷却塔降温后使用。

5.1.22 冷却水中断,炉体的冷却构件将会被烧损,造成重大设备损坏事故和生产停顿。故本条为强制性条文,必须严格执行。

5.1.23 精炼炉冷却水使用低硬度的净化水,可避免冷却元件结垢堵塞。

5.2 中、低品位废杂铜火法冶炼

5.2.1 中、低品位废杂铜的火法冶炼是废杂铜冶炼的重要组成部分,可选择的工艺流程较多。选择工艺流程是一项综合性的技术经济工作,必须力求技术上先进,经济上合理,最大限度地提高金属回收率和设备利用率,节省能源,消除污染,加强综合回收和利用,降低投资和生产成本。由于项目具体条件不同,涉及的因素很多,故应进行方案比较和详细论证,以寻求适宜的方案。

5.2.2 中、低品位废杂铜成分复杂,含铜品位波动范围大,传统生产工艺是采用三段法冶炼,即首先经鼓风炉熔炼产出黑铜,第二步将黑铜送入转炉吹炼产出含铜不小于93%的粗铜,第三步将粗铜送入阳极炉精炼才能产出阳极铜。近年来,针对鼓风炉需消耗昂贵的焦炭燃料和鼓风炉的低效率、污染严重、能耗高的致命弱点,国内外开始采用熔池熔炼炉、顶吹旋转转炉来替代鼓风炉处理中、低品位废杂铜。这两种炉型具备熔炼、吹炼的功能,两个阶段可在一个炉内完成,产出含铜不小于93%的粗铜。产出的熔融粗铜宜采用回转式阳极炉精炼。回转式阳极炉具有结构紧凑,机械化、自动化程度高,安全性好,散热损失少等优点。

5.2.3 年均生产300d以上是根据国内外铜冶炼厂实践制定的。

5.2.4 浸没式顶吹熔池熔炼炉加料一般采用胶带运输机,物料的粒度不宜过大,原料的粒度宜小于100mm,熔剂的粒度宜小于15mm。顶吹旋转转炉加料一般采用箕斗加料机,为提高加料效率,松散物料需打包,入炉原料的粒度宜小于500mm,熔剂的粒度宜小于15mm。

5.2.5 熔池熔炼炉、顶吹旋转转炉的作业制度均为间断作业,产出的熔融粗铜送至火法精炼,精炼炉的容量、台数应与熔池熔炼炉、顶吹旋转转炉的作业制度相匹配,主要根据上述炉子的作业周期来安排精炼炉的等料保温时间。

5.2.7 回转式阳极炉采用的还原剂一般有天然气、液化石油气及煤基固体还原剂等,这些还原剂在国内工厂中均有投入使用的例子。还原剂的确定主要取决于其来源是否经济,输送是否方便等因素。重油作还原剂时,会产生黑烟污染等问题,一般不予采用。为保证阳极铜的质量,还原剂的含硫宜低于0.5%。

5.2.8 采用浸没式顶吹熔池熔炼炉时将燃料和富氧空气鼓入到熔池内,富氧浓度基本在30%~65%之间;采用顶吹旋转转炉熔炼时,通过燃烧喷枪往炉内鼓入燃料和富氧压缩空气或工业氧气,鼓风富氧浓度宜为85.0%~99.6%,吹炼时通过吹炼喷枪往炉内鼓入富氧压缩空气,鼓风富氧浓度宜为21%~27%。回转式阳极炉可采用稀氧燃烧、富氧燃烧或普通空气燃烧,由于稀氧燃烧比富氧燃烧和普通空气燃烧更有优势,具备条件时,回转式阳极炉宜采用稀氧燃烧技术。

5.2.9 中、低品位废杂铜一般含铅、锌等挥发性杂质,烟气中烟尘含量较多,因此经收尘系统处理后才能达标排放,同时可综合回收烟尘中的铅、锌等有价金属。

5.2.10 熔池熔炼炉、顶吹旋转转炉产出的高温烟气蕴含大量热能,回收烟气中的余热是重要的节能措施,熔池熔炼炉应设余热锅炉回收烟气余热,顶吹旋转转炉宜设余热锅炉回收烟气余热。精炼过程的还原期烟气一般含有未充分燃烧的炭黑,可设置二次燃烧室使其充分燃烧。回转式阳极炉产出的高温烟气也应设置余热锅炉回收烟气余热,或设置空气换热器产出热空气作为助燃风。当回转式精炼炉采用稀氧燃烧时,由于烟气量大幅减少,可不设烟气余热回收装置。

5.2.12 顶吹旋转转炉外部设置的环保烟罩将整个炉体都罩在其中,从炉口泄漏的烟气由环保烟罩收集经收尘装置处理后排放,因此顶吹旋转转炉的操作环境良好;回转式阳极炉操作时,烟气易从加料口和放铜口外泄,因此加料口和放铜口应设置集烟罩,捕集的烟气经收尘装置处理后排放。

5.2.13 浸没式顶吹熔池熔炼炉炉顶加料口、喷枪或风口、备用燃烧器入口、取样和检测口密封的好坏,影响到空气漏入量及出炉烟气量,也对烟气的外泄情况产生影响,因此应采取密封装置。

5.2.14 国内多家铜冶炼厂已在回转式阳极炉上采用氮气搅拌技术,通过透气砖向铜液中鼓入氮气,增加铜液搅动,加速传热传质,对缩短氧化还原时间,提高还原剂利用率具有明显效果。

5.2.15 中、低品位废杂铜在熔炼炉内经熔炼、吹炼两个过程后可产出品位不小于93%的粗铜。

5.2.16 根据国内外工厂生产实践经验,粗铜经火法精炼后可产出品位大于99%的阳极铜。当原料中含镍高时,阳极铜品位可按铜加镍计,铜加镍含量应大于99%。

5.2.17 熔池熔炼炉和顶吹旋转转炉渣含铜可控制在1.0%范围内;加入铁、硅元素造渣,控制炉内的还原性气氛,弃渣含铜可小于1.0%。

5.2.18 吊运高温熔体有特殊的安全要求,根据《关于开展特种设备隐患排查和起重机械专项整治行动的通知》(国质检特函〔2007〕355号)的要求,吊运熔融金属的起重运输机必须选用现行行业标准《冶金起重机技术条件 第5部分:铸造起重机》JB/T 7688.5要求的冶金铸造起重机。2007年4月18日,辽宁省铁岭市清河特殊钢有限公司由于采用通用桥式起重机代替冶金铸造起重机吊运钢水包,发生钢水包整体脱落灼烫事故,共造成32人死亡,6人重伤。故本条为强制性条文,必须严格执行。

5.2.19 本条各款规定涉及熔池熔炼炉的安全生产,对熔池熔炼的安全措施作出规定。本条为强制性条文,必须严格执行。

1 浸没式顶吹熔池熔炼炉的喷枪正常作业时插入熔体,依靠流通的鼓风冷却枪体。当事故停电时,供风中断,为防止喷枪烧损,必须立即利用事故电源将喷枪提升。喷枪提升系统与给料胶带运输系统间设联锁装置后,当加料系统中断给料时,喷枪系统会自动停风并提升,否则极易引发泡沫渣事故。2007年9月9日,甘肃酒泉铅冶炼厂浸没式顶吹熔池熔炼炉由于停料后长时间空吹等原因,造成大量泡沫渣喷炉灼烫事故,致8死10伤。

2 事故停电时底吹熔池熔炼炉供风中断,造成熔体倒灌入喷枪,同时中断了喷枪冷却保护,造成设备损坏。安全电源可及时驱动炉体倾转,将喷枪转至熔体液面以上,保证设备安全。否则熔融粗铜一旦外溢,过流之处电气和设备将烧毁,甚至可能引起火灾造成人员伤亡。

3 浸没式顶吹熔池熔炼炉炉内熔体维持了一定厚度的渣层,参与反应的大部分氧靠渣来传递,通过喷枪鼓入渣层的空气或氧气首先氧化渣层,熔体激烈搅动使渣层与铜接触从而达到造渣的目的。如果炉内炉渣的表面张力较大,从喷枪鼓入的空气(或氧气)和化学反应生成的气体不能及时克服炉渣表面张力,导致大量气体被炉渣束缚,使炉渣体积急剧膨胀,发生泡沫渣事故,危及设备及人员安全。浸没式顶吹熔池熔炼炉要围绕防止泡沫渣事故采取必要的安全技术措施。

4 炉体冷却元件冷却水中断时,冷却元件铜水套将会被烧损,造成重大设备损坏事故。

5.2.20 本条各款规定涉及顶吹旋转转炉的安全生产,对顶吹旋转转炉安全措施作出规定。本条为强制性条文,必须严格执行。

1 顶吹旋转转炉是一种既可绕横轴转动又可绕纵轴旋转的倾斜式转炉,只有当炉子处于操作位置时,喷枪才可以伸进炉内,而且只有当炉子处于加料位置时,才能启动箕斗加料装置往炉内加料的程序。因此必须设置事故发生时喷枪紧急提升装置,喷枪正常提升与箕斗加料装置之间应按程序控制操作,为保证安全生产必须设置联锁装置,否则极易发生喷炉事故,可能造成人员伤亡。

　　2 喷枪冷却元件的供水不得中断,否则会损坏喷枪,不仅影响生产,而且会引发安全事故。

5.2.21 本条对回转式阳极炉的安全措施作出规定。本条为强制性条文,必须严格执行。

　　1 回转式阳极炉的工艺控制要求进料、氧化、倒渣、还原时用快速转动,浇铸时宜用慢速转动,防止浇铸失控,为确保安全生产,突然停电时必须有能操作炉体转动到安全位置的机构,以便将氧化、还原风眼转出熔体表面或中止出铜。否则熔融粗铜一旦外溢,过流之处电气和设备将烧毁,甚至可能引起火灾造成人员伤亡。

　　2 冷却水中断,炉体的冷却结构件将会被烧损,造成重大设备损坏事故和生产停顿。

5.2.25 熔池熔炼炉、顶吹旋转转炉、回转式阳极炉炉体及喷枪冷却水使用低硬度的净化水,可避免冷却元件结垢堵塞。

6 冶金炉烟气处理

6.1 一般规定

6.1.1 再生铜的原料废杂铜一般含铅、锌等挥发性杂质,在高温冶炼时,这些杂质会进入冶金炉烟气中,需要经烟气处理系统收集下来。

1 烟尘的回收和综合利用可采用多种形式,可以出售给相关烟尘处理企业;对于有条件的企业,也可以设置烟尘回收和综合利用设施,回收烟尘中的有价金属。

2 《国家危险废物名录》(中华人民共和国环境保护部、中华人民共和国国家发展和改革委员会 2008 年第 1 号令)规定"铜再生过程中产生的飞灰和废水处理污泥"属于 HW48 有色金属冶炼废物,废物代码为 331-027-48*,但同时注明"对来源复杂,其危险特性存在例外的可能性,且国家具有明确鉴别标准的危险废物,本《名录》标注以'*'。所列此类危险废物的产生单位确有充分证据证明,所产生的废物不具有危险特性的,该特定废物可不按照危险废物进行管理"。因此烟尘应根据国家危险废物鉴别标准和鉴别方法进行鉴别,判定为危险废物时,烟尘的处理应同时满足危险废物处理的相关要求。

6.1.2 再生铜的冶炼过程通常涉及加料熔化、氧化造渣、还原、浇铸等阶段,各阶段产生的烟气量通常都有很大的变化,为了控制冶金炉炉内压力,需要烟气处理系统排风机采用变频调速,以便进行炉压的控制;另外,排风机采用变频调速也有利于节约能源。

6.1.3 烟气处理系统的设备和管道之所以要采取保温隔热措施,一是为了隔热,防止高温烟气对操作人员造成伤害;二是为了保温,防止烟气温度低于露点温度,造成设备故障或对管道及设备的腐蚀。

6.1.6 随着环境保护工作的加强,环境管理部门通常都要求在烟气排放烟囱上对烟气不定期取样分析或设置烟气在线监测系统,以便监测主要污染物排放情况。因此,设计时需要在烟囱的监测位置设置取样口和取样平台楼梯,监测位置应根据监测要求和相关的标准确定,如国家现行标准《固定污染源排气中颗粒物测定与气态污染物采样方法》GB/T 16157、《固定污染源烟气排放连续监测技术规范》HJ/T 75 和《固定源废气监测技术规范》HJ/T 397 等。

6.2 高品位废杂铜火法精炼烟气处理

6.2.1 高品位废杂铜火法精炼烟气的主要成分是二氧化碳、水、氧气和氮气,从冶金炉排出的烟气温度较高,一般都在 1200℃ 以上,因此宜有效利用烟气余热,避免能量浪费。根据实际工艺和全厂需要,可设置余热锅炉生产蒸汽或与空气进行换热生产热风供精炼炉使用。当采用稀氧燃烧技术时,由于大幅减少了烟气量,可不再设置烟气余热回收系统。鉴于高品位废杂铜原料中一般也会夹带塑料等有机物,所以烟气宜设置控制二噁英污染的设施。

6.2.2 高品位废杂铜火法精炼烟气夹带大量烟尘,采用布袋收尘器能有效收集烟气中的烟尘,布袋收尘器的收尘效率较高,可使烟气达到排放标准的要求。

1 布袋收尘器入口烟气温度宜为 120℃～200℃,入口温度的确定需要根据工艺及拟选用的滤袋材质确定,不同的滤袋耐温不同,一般而言,烟气经余热锅炉和换热后,温度都在 200℃ 以内。

2 布袋收尘器宜采用离线脉冲清灰方式清灰,采用离线清灰,能避免布袋收尘器内部的二次扬尘,提高清灰效率。布袋收尘器的清灰控制应采用自动调节的控制系统,可以减少值守和操作人员,也更有利于设备的稳定运行。

3 布袋收尘器壳体应采用蒸汽伴热或电伴热,目的是为了防止烟气在壳体上结露,避免烟尘板结和损坏设备。

4 布袋收尘器应采用密闭排灰,目的是减少设备的漏风。

6.3 中、低品位废杂铜火法冶炼烟气处理

6.3.1 对于中、低品位废杂铜火法冶炼烟气,应根据冶炼工艺及冶金炉烟气污染物成分选择合适的烟气处理方法,一般可选用的烟气处理工艺有干法、湿法或干法与湿法组合工艺。

6.3.2 中、低品位废杂铜常常含有油污、塑料、绝缘皮等有机可燃物,烟气量也比较大,宜设置余热锅炉回收热量,但为了避免有机物不完全燃烧产生的二噁英前驱体形成二噁英,需要控制余热锅炉出口烟气温度在其二次合成温度以上,即不低于500℃。

6.3.3 由于原料夹带的有机物不完全燃烧而产生的二噁英前驱体在200℃~500℃停留足够的时间会合成二噁英,因此为了使烟气迅速越过该温度区域,防止烟气中的有机中间产物合成二噁英,需要设置烟气急冷设备,使烟气温度在1s内降到200℃以下,减少烟气在200℃~500℃温度区间的滞留时间。本条是根据现行行业标准《危险废物集中焚烧处置工程建设技术规范》HJ/T 176制定的。

急冷设备出口烟气温度宜控制在150℃~200℃,当后续工艺还有冷却设备时,烟气温度可以适当提高,但应低于200℃;当后续工艺直接采用布袋收尘器时,温度宜控制在滤袋使用温度以下,一般在150℃左右。

为了使烟气瞬间跨过二噁英二次合成温度,急冷设备需要采用雾化效果好的喷头,以缩短喷入水的蒸发时间,提高抑制效果。急冷设备的供液泵宜采用一用一备,以确保急冷设备的安全稳定运行。

6.3.4 当烟气中含有二氧化硫、氯化氢和溴化氢等酸性物质并采用干法烟气处理工艺时,宜在急冷设备的供液系统中添加碱,以便脱除这些酸性物质,同时也能抑制二噁英的形成。采用干湿法组合的烟气处理工艺时,由于设置了独立的湿法脱酸设备,因此对急

冷设备的供液系统中是否加碱不作要求。

6.3.5 中、低品位废杂铜火法冶炼烟气夹带有大量烟尘,采用布袋收尘器能有效收集烟气中的烟尘,而且布袋收尘器的收尘效率较高,可使烟气达到排放标准的要求。

  1 布袋收尘器入口烟气温度宜为120℃～200℃,入口温度的确定需要根据工艺及拟选用的滤袋材质确定,不同的滤袋耐温不同,一般而言,烟气经余热锅炉冷却后,温度都在200℃以内。

  2 布袋收尘器宜采用离线脉冲清灰方式清灰,采用离线清灰能避免布袋收尘器内部的二次扬尘,提高清灰效率。布袋收尘器的清灰控制宜采用自动调节的控制系统,可以减少值守人员和操作人员,也更有利于设备的稳定运行。

  3 布袋收尘器壳体应采用蒸汽伴热或电伴热,目的是为了防止烟气在壳体上结露,避免烟尘板结和损坏设备。

  4 布袋收尘器应采用密闭排灰,目的是减少设备的漏风。

6.3.6 根据联合国环境规划署发布的《针对斯德哥尔摩公约第五条和附件C的最佳可行技术》(*Guidelines on best available techniques and provisional guidance on best environmental practices relevant to Article 5 and Annex C of the Stockholm Convention on Persistent Organic Pollutants*)中推荐的最佳可行技术,活性炭类吸附剂能有效吸附二噁英,因此为了使烟气满足排放标准,设置粉状活性炭添加系统,向烟气中添加活性炭,以脱除烟气中二噁英类的污染物。

  活性炭添加点宜设置在布袋收尘器入口管道上,以便使活性炭均匀分布并在滤袋上形成活性炭层,同时在布袋收尘器里把活性炭收集下来。

  活性炭添加点烟气温度应低于200℃,以避免活性炭着火。

  活性炭添加系统应能调节和精确控制活性炭的添加量,从而根据工艺烟气的实际情况调整添加量,避免浪费。

  当烟气管道较大时,活性炭添加系统的添加口应设置多个,以便活性炭在烟气中均匀分散。

当设置了烟气在线监测系统时,活性炭添加系统应与烟气在线监测系统联动,以便根据监测情况调整添加量。

粉状活性炭粒度较小且容易着火,因此活性炭添加系统的设计应防火防爆。

6.3.7 当烟气处理系统采用干法与湿法组合烟气处理工艺时,烟气处理系统既有干法收尘设备又有湿法烟气处理设备。

1 湿法烟气处理设备应设置在干法烟气处理设备后,如一般设置在布袋收尘器后,这样设置的好处是收集的烟尘为干烟尘,避免处理大量烟尘泥浆。

2 湿法脱酸设备出口宜设置除雾设备,除雾设备能收集烟气中的液滴,减少烟气中水分的凝结。

6.3.8 在不适于选用干法工艺的情况下,烟气处理系统应采用全湿法烟气处理工艺,即烟气处理系统设备全为湿法烟气处理设备。

1 全湿法烟气处理系统应包括湿法急冷设备和湿法收尘设备,配备急冷设备的主要目的是使烟气降温和抑制二噁英类物质的形成,其除尘效果较差,因此通常还需要湿法收尘设备。急冷设备和湿法收尘设备的循环泵宜采用一用一备,以便确保系统安全稳定运行。

2 对湿法处理后的湿烟气,宜设置除雾设备进行除雾后再送排风机,以避免排风机里出现大量凝结液体。

3 湿法烟气处理系统中的烟尘都进入洗涤液中,需要设置沉降槽、压滤机等烟尘回收设备,使烟尘与洗涤液分离。

6.3.9 在湿法烟气处理设备的供液系统中添加碱的目的是为了脱除二氧化硫、氯化氢和溴化氢等酸性物质。

6.3.10 采用湿法烟气处理工艺时,洗涤液通常多次循环,但最终仍需排出系统,即会产生大量废水,废水常常含有重金属等有害物质,因此必须对产生的废水进行处理,达标后方可排放。

7 电 解 精 炼

7.0.1 目前,国内外 10 万 t/a 及以上规模的铜电解厂,基本都采用长、宽尺寸为 950mm～1000mm,重量为 320kg～420kg 的大极板。采用大型极板和大型电解槽可设置大跨度厂房,相同产量规模时电解槽数量少,单位面积产量高,厂房占地面积小,可减少出装槽数量和吊车运行距离,有利于提高电解槽作业率,产能潜力大。极板作业机组机械化和自动化程度高,可提高作业率,降低劳动强度,减少操作人员。多功能专用吊车具有同时起吊整槽或半槽阴、阳极板的功能,并带有接酸盘,可避免阴、阳极从电解槽吊出时附带的电解液滴落槽面而造成环境污染及可能出现的槽面漏电等现象,同时还可缩短出装槽作业周期,提高作业率。近五年来,国内新建及改造的如江西铜业集团公司贵溪冶炼厂、金隆铜业有限公司、金川集团有限公司、祥光铜业有限公司、白银有色集团股份有限公司、山东金升有色集团有限公司、大冶有色金属集团控股有限公司、紫金铜业有限公司、广西有色再生金属有限公司、云南锡业集团有限责任公司等企业都相继采用大极板电解,并配备了极板作业机组和多功能专用吊车。

7.0.2 永久阴极电解与始极片阴极电解相比较,具有更多的优点:

(1)省去了始极片生产制作工序,简化了生产流程,劳动生产率高。

(2)永久阴极板强度高,平直度好,表面光滑,可缩短极距,减少短路发生,有利于提高电流效率。可高电流密度操作,电流密度达 $280A/m^2$～$330A/m^2$,提高了单位面积的产量。永久阴极法综合能耗低。

(3)永久阴极电解工艺因采用不锈钢永久阴极板,一次性建设投资较高。选择电解工艺方案时应根据项目建设投资控制要求、产品质量、经济效益等方面进行全面分析论证后确定,在建设投资允许的条件下可优先采用永久阴极电解工艺。当设计规模大于20万t/a时,宜采用永久阴极电解法。

7.0.3 根据有关资料统计,铜电解生产作业的工时比例为:始极片、阳极、阴极和残极出装槽的工作量占27%,始极片整理占30%,槽面操作占27%,液面控制占8%,其他作业占8%。现代铜电解生产向着大极板、高电流密度、高品质发展,因此,拥有完善的自动化极板作业机组不仅可减少劳动定员,减轻劳动强度,加快极板出装槽速度,而且可提高电解作业效率,提高产品质量和产量,减少能耗,降低成本,是实现高效率、高质量生产的前提。根据始极片阴极电解生产需要,极板处理包括阳极作业机组、始极片作业机组、阴极作业机组、残极作业机组、导电棒转运机组5条机组;为配合生产始极片,需配备吊耳切割机组。永久阴极电解取消了始极片生产工序,1条阴极剥片机组可替代始极片制作机组、阴极洗涤机组和导电棒贮运机组3条机组,故永久阴极电解极板处理只需阳极作业机组、残极作业机组、阴极剥片机组3条机组。考虑到机组的维修及富余能力,机组每天的工作时间宜为8h～12h。

7.0.4 电解生产过程中,极板悬垂度及极距误差值越小,对减少短路、降低能耗及产品质量更有保证,但误差精度要求太高,设备加工难度及投资费用高,因此极板加工精度的确定应考虑设备的性价比,过高的精度要求使设备制造要求提高,造成投资浪费。条文中的基本悬垂度和极距允许误差要求,可以满足生产标准阴极铜或高纯阴极铜的要求,条文中的吊耳尺寸和平面度允许误差要求是根据始极片作业机组对吊耳的要求制定的。

7.0.5 电解专用吊车是电解车间的核心设备,根据其使用的频繁程度及起升载荷,应选用工作级别为A7的起重运输机。选用能够同时起吊阴、阳极板的专用吊车可以减少起重机运行,缩短出装槽时间,有利于提高电解槽作业率,提高产能。永久阴极电解由于极距小,为保护不锈钢阴极板,专用吊车应具有自动定位功能,始极片阴极电解则可视操作的熟练程度确定是否选用自动定位。

7.0.6 永久阴极电解采用不锈钢阴极板,由于极板表面光洁、平直度高、悬垂度好,因此,较始极片阴极电解可采用更高的电流密度和较小的极距。

电解槽单位容积产量与电流密度成正比,因此在保证阴极铜质量的前提下,采用更高的电流密度是铜电解不断追求的目标。国外永久阴极电解的平均电流密度为 $300A/m^2$,最高可达 $330A/m^2$。国内几家采用永久阴极电解的工厂,电流密度也都超过了 $290A/m^2$。始极片阴极电解随着极板处理机组、专用吊车的使用,提高了始极片的悬垂度,电流密度也有逐步提高的趋势,国内大极板始极片的阴极电流密度一般都在 $240A/m^2 \sim 270A/m^2$,有些工厂甚至已达到了 $290A/m^2$。为了确保稳定生产合格阴极铜产品,必须选择一个合理、经济的电流密度。本条中电流密度的规定参照了国内外各电解铜厂电流密度的生产实践。

永久阴极电解由于不锈钢阴极平直,电力线分布均匀,不容易短路,阳极溶解更均匀,因而残极率较始极片阴极电解更低,一般不大于16%,而始极片阴极电解残极率一般不大于20%。同极中心距除与极板尺寸和加工精度等因素有关外,还与阳极成分和电解电流密度等有关。国内大极板始极片阴极电解同极中心距一般为105mm,永久阴极电解一般为100mm。

永久阴极电解法的电流密度高,槽电压随之升高,根据对国内外工厂的统计,其槽电压一般为 $300mV \sim 400mV$,平均为 $350mV$,因此直流电耗高于始极片阴极电解。电流密度提高的另一结果是电流通过电解液时释放的热量增加,因此其蒸汽消耗量相应下降。

7.0.7 铜离子浓度和游离酸浓度影响电解液电阻,电解液电阻随游离酸浓度的增加而降低,随铜离子浓度的增加而提高,故一般高酸低铜的电解液成分有利于降低电耗。此外,电流密度提高时,单位时间在阴极上放电析出的铜量也增加,因此电解液铜离子浓度应随电流密度的提高而相应提高,故高电流密度的永久阴极电解,电解液铜离子浓度比始极片阴极电解略高。条文中对电解液铜离子浓度及游离酸浓度的规定,是根据目前各工厂实际生产中的经验而制定的。

7.0.8 合理的电解液成分是保证生产合格阴极铜、确定合理的电解液净化规模、节约生产成本的重要手段。实践表明,电解液成分控制在本条所规定的范围,可以获得较好的经济效果。

7.0.9 根据国内大多数电解工厂的生产实践,在满足本规范第7.0.6条~第7.0.8条的要求下,同时在设计和生产管理中采取有效措施,无论采用始极片阴极电解还是永久阴极电解,阴极铜质量均可达到现行国家标准《阴极铜》GB/T 467中标准阴极铜(Cu-CATH-2)的要求,国内主要铜冶炼厂的阴极铜质量已达到了现行国家标准《阴极铜》GB/T 467中高纯阴极铜(Cu-CATH-1)的标准,并符合LME注册要求。

7.0.10 国内电解液加热一般采用列管式换热器和板式换热器。不透性石墨换热器和铅管换热器因传热系数比较低,在电解液加热方面已被淘汰。列管式换热器与板式换热器相比,传热系数低,换热面积大,设备占地面积大,管内沉积难清理,维修困难,目前只在一些老电解厂中使用。随着板片压制技术的提高,板式换热器进出口及板片流道形式可根据加热介质性质、流量及换热量等进行特殊设计,使换热器结构更符合工况条件,板片结垢易清理,维护方便。目前国内所有新建电解厂均采用板式换热器。

阴极铜及残极洗涤需消耗70℃~80℃的热水,每天出装槽需大量的水进行槽面冲洗,将电解液加热蒸汽冷凝水回收利用,一则减少新水消耗,同时将冷凝水余热加以利用而减少蒸汽消耗,既满足生产需要,又符合国家对生产企业节能减排的要求。

7.0.11 电解生产将各种含铜酸性废水经过滤后循环使用,不仅提高了铜回收率,而且节省了废水处理的费用。

7.0.12 为了维持正常电解的电解液温度条件(一般控制在60℃～65℃),需用蒸汽加热补充热量。影响电解精炼蒸汽消耗的主要因素是电解液的蒸发造成的热损失以及电解槽体、溶液管道和设备的表面散热损失。据测定,实行槽面覆盖可减少50%的蒸汽消耗,槽壁保温可节约17%的蒸汽消耗。所以本条规定有利于减少蒸汽消耗,同时还可减少酸雾挥发,改善操作环境。

7.0.13 本条规定是为了加强劳动保护,改善工作场地的环境卫生条件。

7.0.14 电解槽出装槽短路断电作业有两种方式:一是采用人工导电棒"横电短路",另一种是在导电母排上安装遥控短路开关进行多只电解槽分组同时断电。采用导电棒"横电短路"方式具有作业率高、投资省的优点,但由于导电棒截面不能太大,仅适用于低电流强度的情况,一般在小极板电解生产中采用。随着电解的大极板、高电流密度的发展趋势,电解电流强度一般都在20000A以上,从减轻劳动强度、安全生产等方面综合考虑,应采用在母排上设置短路开关遥控断电方式。

7.0.15 防止漏电是降低电耗、提高电流效率的主要途径之一。为了防止或减少漏电,电解槽之间、电解槽与楼板之间需留有足够的间隙,加强电解槽与梁、柱、地面间的绝缘性能,在电解槽与支撑梁间采用绝缘瓷砖、橡皮或塑料隔开,实践证明该措施十分有效。

7.0.16 作为始极片阴极电解,始极片质量对于电解作业的稳定、阴极铜质量的提高极为重要,因此,对生产始极片的种板槽的电解液成分,添加剂加入量以及电流密度等技术参数的控制比生产槽要求更高,故种板槽的电解液循环系统、添加剂加入装置及直流电源的单独设置,有利于加强对始极片生产的技术控制,提高始极片质量,满足机组加工要求。

7.0.17 电解过程中,电解液中的阳极泥等悬浮物对阴极铜的质量产生极大影响,因此对电解液进行过滤,保证电解液的洁净度,对提高阴极铜质量起着极为重要的作用。种板槽电解液循环量仅为生产槽电解液循环量的6％，即使进行全过滤，过滤量也不大，设备投资、运行费用等增加不多。国内种板槽电解液多为全过滤。

7.0.18 加强电解液过滤是提高电解液洁净度的有效手段，过滤量越大，电解液洁净度越高，越有利于高质量阴极铜产品的生产，但过大的电解液过滤量，使设备投资、占地面积及生产运行费用都相应提高。根据一些工厂生产实践，电解液较经济的过滤量为电解液循环量的20％。由于杂铜阳极板杂质含量偏高，电解液的过滤量占电解液循环量的比例有所增加。因此实际电解液过滤量需根据阳极板成分，特别是砷、锑、铋杂质含量，投资及运行费用等具体情况综合比较后确定。此外，电解液经澄清后再过滤，可加快过滤速度。

铜电解液过滤一般选用传统的箱式压滤机。箱式压滤机价格便宜，但过滤量大时，因单台过滤能力较低，需要设备台数多，占地面积大使投资增加。箱式压滤是靠压力强制过滤，对电解液中微米级的细小颗粒，过滤效果不佳。高效净化过滤机对电解液中微米级和次微米级悬浮物的过滤特别有效，可使过滤后的电解液悬浮物含量低于10mg/L，过滤效果非常好。近年来，国内新建及改造铜电解厂电解液过滤多采用高效的净化过滤机。

7.0.19 随着电解生产规模化、机械化、自动化装备水平的提高，采用DCS或PLC控制系统对工艺参数、设备运行、仪表检测等进行实时显示与控制，为实现企业的规范化管理、节约能源、减少生产操作人员、降低劳动强度和生产成本、提高生产安全性及产品的合格率等提供了必要的保证。

7.0.20 清槽作业、电解液的净化量和返回量差值变化等因素会造成电解液体积波动，而电解槽、高位槽及各管道内溶液量几乎保持不变，所以电解液体积波动直接反应贮槽内液位的波动，因此，对贮槽液位进行检测和控制是指导并保证电解正常生产的重要手段，同时对贮槽液位检测并设置报警装置，可以预防并避免出现电解液冒槽等事故。

7.0.21 将加热后的电解液与加热蒸汽阀实现自动调节控制,可根据生产实际情况及时调整电解液温度,并有效地控制电解技术参数,为电解生产高质量产品提供保障。

7.0.22 本条中的联锁设置可避免一旦出现事故停电后,循环泵停止送液,高位槽中电解液放空,加热器干烧损坏以及高位槽继续向电解槽供液并溢流至循环贮槽,造成循环贮槽只进不出,可能出现循环贮槽冒槽等事故的发生,是确保安全生产的措施之一。

7.0.23 目前各电解工厂均采用可控硅整流机组,一般采用变压器和整流器靠紧布置方式,额定功率条件下机组的整流效率可达95%～97%。

7.0.24 此条主要是针对北方气候寒冷的地区设定的。电解生产中电解液的温度一般控制在60℃～65℃,若室内温度太低,槽体散热损失及槽面蒸发均大大增加,不仅能耗增加,而且蒸发附带的硫酸酸雾在空气中遇冷易发生结露,结露的酸液给厂房及设备带来严重的腐蚀,故在北方地区,除厂房内设置采暖外,在厂房建筑上还应采取一定的保温措施,以保证冬季电解厂房内温度不低于15℃。

7.0.25 极板贮备架的设置在一定程度上可以缓解极板作业机组的工作负荷,缩短出装槽时间,有利于提高电解槽作业率,因此,在合理配置及场地允许的条件下,应设置尽可能多的极板贮备架。

8 电解液净化

8.0.1 电解液净化的目的是脱除电解过程中在电解液中积累的超过极限含量的杂质元素,通常为砷、锑、铋和镍等。净化过程中产出物分别有粗硫酸铜、标准阴极铜(Cu-CATH-2)、粗硫酸镍,以及富集了铜、砷、锑、铋等杂质的黑铜板和黑铜泥等。电解液净化应根据阳极铜中杂质成分含量和产出物的市场销售情况确定工艺流程。

8.0.2 为了减轻脱铜电解的负担,需净化处理的铜电解液脱铜往往采用生产硫酸铜的方法,即高酸结晶法。高酸结晶法工艺简单,可采用真空蒸发浓缩,蒸发效率高,硫酸铜结晶率高且环保效果好,工艺灵活,适应性强,但高酸结晶法因硫酸浓度高,结晶过程杂质也容易析出,产出的硫酸铜的杂质含量高,需重新溶解再结晶,这样产出的硫酸铜才能满足质量要求。

8.0.3 高酸结晶法生产硫酸铜采用的连续真空蒸发工艺具有蒸发效率高、单台处理能力强、可实现自动控制等优点。蒸发设备以前一般采用列管式真空蒸发器,蒸发效率低,而且因采用自然循环方式,流速低,溶液在换热管内易结垢且难以清理。板式真空蒸发器组具有换热效率高、蒸汽消耗量少、自动化程度高、占地面积小等优点,特别是板片容易拆卸,设备检修、清理结垢方便,劳动强度低,可方便增减板式蒸发片数量,对处理量变化适应能力强,特别适合电解液净化量随阳极板杂质变化的特殊条件。真空蒸发使用水喷射泵既可实现真空,又将蒸发气体同步冷凝,既节省设备投资,又利于节能。

8.0.5 电解液中镍的脱除多采用蒸发浓缩结晶法和冷冻结晶法,蒸发浓缩结晶法主要有蒸汽间接加热浓缩法和电热浓缩法。蒸发浓缩结晶法和冷冻结晶法由于硫酸浓度低,所以脱镍率偏低,相同脱镍量所需的溶液处理量更多。冷冻结晶法的优点是劳动条件好、无酸雾、生产成本较低,缺点是设备数量多、占地面积大,因此仅适合处理能力不大的情况,目前江西铜业集团公司贵溪冶炼厂采用的是该方法。电热浓缩法由于采用电加热,蒸发温度可达170℃,蒸发后硫酸浓度为1100g/L,设备简单、流程短且脱镍率高,因此适宜处理量大的情况,但因电耗较高,用电紧张的地区不宜采用,目前国内金川有色集团有限公司、白银有色集团股份有限公司、江西铜业清远有限公司等企业采用该方法。

8.0.6 电解脱铜时酸雾大,对建筑物腐蚀严重,控制不当时还会有砷化氢气体产生,故脱铜电解槽必须设置机械排风装置。排风装置与脱铜电解整流设备设置联锁的目的是确保脱铜槽工作时排风装置也一定开启,而且清槽断电时,在整流器断电一段时间后待有害气体排空的情况下再关闭排风机。2010年7月10日,浙江兰溪自立铜业有限公司电解车间发生脱铜电解砷化氢中毒安全生产事故,导致10名员工中毒入院抢救。本条规定的目的在于加强安全卫生劳动保护,故本条为强制性条文,必须严格执行。

8.0.7 本条说明同本规范第7.0.10条、第7.0.11条条文说明。

8.0.8 粗硫酸铜、粗硫酸镍可以作为产品对外销售,黑铜粉属于危险废物,需委托具有危险废物处理资质的企业进行处理。为保证产品质量及符合环保要求,粗硫酸铜、黑铜粉及粗硫酸镍不得露天堆放,可以统一贮存在同一仓库内,产品间用挡墙隔开。

8.0.9 电解液净化年均生产320d以上是根据国内大多数电解工厂的生产实践制定的。生产时间少、每天的净液量大会导致净化设施庞大,造成投资浪费。

9 工 艺 配 置

9.1 一 般 规 定

9.1.1 工艺配置是工艺流程的具体表现,最重要的是应满足工艺流程的需要。

9.1.2 运输路线应根据生产要求和人流、物流方向合理确定,避免反向运输和交叉运输,尽可能利用物流自流和缩短各种物料的运输距离。

9.1.3 铜冶炼车间设备及相关专业设施多,如电缆桥架、蒸汽管道、水管、配(变)电室等,应统筹考虑,合理配置。必要的操作、检修场地和物料堆场是配置的重要内容,应当充分考虑。

9.1.4 工厂在分期建设时,在工艺配置上应预留增加设备的位置,对厂房应考虑留有扩建的合理方向和场地,避免后期建设时的被动。

9.1.5 车间厂房柱距和跨度宜满足构件的统一化和标准化要求,可以利用标准图和通用图,加快设计进度,提高设计质量,为节约投资创造条件。

9.2 原料预处理

9.2.1 原料预处理厂房应按卸货、拆解、贮存功能划分作业区域,不得杂乱无章地随意堆存。为便于区分和实际操作,要求各功能区有明显的区分标识。

9.2.2 将拆解后的废杂铜原料按类别堆存,这样才便于原料运至熔炼系统的生产组织和管理。

9.2.3 经拆解剔出的非铜物质、有机物料、不可回收物资和危险废物等应设有专门的贮存区,以便统一处理。

9.3 原料打包

9.3.1 本条对废杂铜原料打包工序的配置作出规定。

1 打包设备宜在打包厂房内布置,一要靠近原料堆场,二要毗邻熔炼系统,以缩短原料运输距离,方便生产。

2 打包机需要维护检修,因此要配备起重运输机。

3 松散原料经打包压块后即可成为入炉物料,入炉前还需贮存堆放,以保证入炉物料的及时供给。

9.4 高品位废杂铜火法精炼

9.4.1 本条规定的配置可利用主厂房的冶金铸造起重机吊运熔融粗铜、冷料、熔融精炼渣,方便往返加料作业。

9.4.2 浇铸跨设起重和计量设备,是阳极板吊装和计量的需要。

9.4.3 本条规定便于通行及进行加料、吹风、清理炉口等作业。

9.4.4、9.4.5 堆场及作业场地不可缺少,一般应统筹配置。

9.5 中、低品位废杂铜火法冶炼

9.5.1 因熔体温度高,故炉体周围梁、柱要采取隔热措施。粗铜遇水会发生爆炸,故粗铜安全坑应采取防渗透、防积水措施。

9.5.2 炉底周边1.5m内以及粗铜和渣溜槽下方不得敷设电缆及设置水管阀门井,是为防止熔体流出烧坏电缆和遇水爆炸。

9.5.3 本条对熔池熔炼炉和顶吹旋转转炉车间的配置作出规定。

1 熔融粗铜通过流槽直接加入精炼炉取消包子及起重运输机,有利于减少作业量,降低厂房投资,防止厂房烟气低空污染和改善车间劳动条件。

2 本款规定可减少烟尘黏结,提高锅炉热效率。

3 本款规定可满足操作、控制和运输的要求。

9.6 电 解 精 炼

9.6.1 按照电解主厂房的一般配置情况,为了避免起重机运行相互干扰,电解槽配置以每个区域设置一台专用起重机为宜。设计规模越大,电解厂房越长,电解出装槽数量多,单跨厂房单台起重机运输距离长,机组配合操作难度大,从而影响电解槽作业率。双跨厂房布置不仅使电解厂房长度缩短,而且可增加起重机数量,有利于电解出装槽时起重机及机组作业的配合,保证电解槽作业率。目前已投产的几个设计规模在 10 万 t/a～30 万 t/a 的电解厂房,均按上述方式进行设计。

9.6.2 极板加工机组配置在厂房中间,机组两侧布置电解槽,可以缩短起重机从电解槽到加工机组的运行距离,有利于提高电解槽作业率并提高产能,是最佳的配置方式。但当需要扩建时,考虑到极板加工机组共用,机组布置在厂房可延伸的一端,扩建后即可形成机组布置在中间的最佳配置方式。

9.6.3 阳极机组、导电棒机组和始极片机组一般不接触电解液,采用不耐腐蚀的普通材料制造,因此一般将该 3 条机组布置在不靠近电解槽的区域,避免阴极铜及残极吊运附带的电解酸液滴落到设备上而腐蚀设备。

9.6.4 目前国内的大极板电解主厂房通常采用的是 33m 大跨度钢屋架厂房,电解槽按 4 个系列分组配置的方式有利于导电母排的布置,减少导电母排的数量。该配置模式已成为国内电解厂房配置的通用模式。

9.6.5 电解槽操作楼面标高的确定直接影响电解主厂房高度和厂房投资,因此合理的楼面标高既要满足操作需要,又要考虑节省投资。考虑到电解槽下阳极泥溜槽的合理坡度和槽下操作要求,电解槽楼面标高宜为 3.8m～4.5m,已被实践证明可以满足要求。

9.6.6 本条对起重机配置作出规定。

    1 本款规定了操作人员在电解槽面安全操作的高度。

2 本款是为了预防操纵不准确而频触限位开关。

3 多功能专用起重机的驾驶室根据吊装需要可随小车移动,根据生产实践,驾驶室底标高距槽面高度大于 2.2m 可以确保电解槽面工的安全操作。

4 主厂房无附跨一侧的采光通风条件好,有利于起重机工人的操作。

9.6.7 始极片阴极电解制作始极片需要进行剥片操作及母板打磨修整处理。在种板电解槽一侧需要留有 18m～24m 的处理场地。

9.6.8 电解主厂房一端的配置场地应考虑当一台起重机检修时,其他起重机能对电解槽进行正常的吊装操作。

9.6.9 本条规定是为了便于在厂房内收集地面废水,易于回收,提高金属回收率,减少废水排放。

9.7 电解液净化

9.7.1 本条规定是为了缩短管道距离,便于溶液、物料往返输送。

9.7.2 脱铜电解易产生酸雾及砷化氢气体,操作环境差,单独布置并与其他工序隔开,有利于有害气体的收集与处理,可避免对其他工序造成影响。在厂房端头布置可为扩建预留发展空间。

9.7.3 硫酸铜生产介质主要为低温高酸、高浓度硫酸铜溶液,极易产生结晶堵塞,因此在配置上应尽量利用高差布置,使溶液在设备之间实现自流。

9.7.4 本条规定是为了便于在厂房内收集地面废水,易于回收,提高金属回收率,减少废水排放。

10 冶金计算

10.0.1 再生铜冶炼冶金计算应以含铜废物、含铜残渣等再生冶炼的各种原料化学成分、熔剂化学成分、燃料化学成分等资料为基础。当缺少某项或几项资料时,可参考同类原料资料进行计算,可能会与实际有所出入,但一般可以满足冶金计算的要求。

10.0.2 投入产出以 t/a 作为冶金计算的基准,计算方便,可直接体现设计规模,数字取小数点后两位可满足冶金计算的精度要求。

10.0.3 本条所列的计量单位遵照了国家法定计量标准,也是冶金计算历来一贯采用的。

10.0.4 再生铜冶炼厂工艺专业的冶金计算是工程设计的重要基础工作,直接关系到工程项目的建设投资和企业生产的各项技术经济指标,必须认真进行计算并力求准确,冶金计算过程和计算结果不仅能满足工艺设计自身的需要,也是向其他的相关专业提供技术条件的前提。需要进行冶金计算的内容,一般视项目的设计阶段、内容和深度要求、所采用的工艺及各工序的具体情况可酌情增减。